JE VEUX LIRE

La fée des dents

Kirsten Hall

Illustrations de Dawn Apperley

Texte français de Nicole Michaud

Éditions
SCHOLASTIC

Catalogage avant publication de Bibliothèque et Archives Canada

Hall, Kirsten

La fée des dents / Kirsten Hall; illustrations de Dawn Apperley;
texte français de Nicole Michaud.

(Je veux lire)
Traduction de : The tooth fairy.
Pour les 3-6 ans.

ISBN 978-0-545-99887-1

I. Apperley, Dawn II. Michaud, Nicole, date III. Titre.
IV. Collection : Je veux lire (Toronto, Ont.)

PZ23.H3385Fe 2007   j813'.54   C2007-903337-7

Édition publiée par les Éditions Scholastic, 604, rue King Ouest, Toronto (Ontario) M5V 1E1.

6 5 4 3 2   Imprimé au Canada   08 09 10 11 12

FSC
Sources Mixtes
Groupe de produits issu de forêts
bien gérées, de sources contrôlées
et de bois ou fibres recyclés.

Cert no. SGS-COC-003098
www.fsc.org
© 1996 Forest Stewardship Council

Note à l'intention des parents et des enseignants

Dès que l'enfant sait reconnaître les 42 mots utilisés
pour raconter cette histoire, il peut lire le livre en entier.
Ces 42 mots apparaissent tout au long de l'histoire pour que
les jeunes lecteurs puissent facilement les retrouver
et comprendre leur signification.

ai	elle	lune	perdu
arrive	est	ma	près
au	étoiles	main	regarde
bientôt	fée	me	surprise
cette	ferme	milieu	temps
couche	fort	moi	très
dans	garde	nuages	une
de	je	nuit	va
dent	la	ouvrir	venir
des	le	passe	yeux
devant	les		

J'ai perdu une dent.

Regarde dans ma main!

Regarde dans ma main!

Je me couche.

Je garde ma dent
près de moi.

Je ferme les yeux.

Je les ferme très fort.

La fée des dents
va venir cette nuit.

Elle passe au milieu des étoiles.

Elle passe devant la lune.

Elle passe au milieu des nuages.

Elle arrive bientôt.

C'est le temps d'ouvrir les yeux!

C'est le temps d'ouvrir ma surprise!

JE VEUX LIRE